1

난징함락과 대학살

난징대학살을 불러온 결정적 장면

南京的陷落（一）

난징함락과 대학살
난징대학살을 불러온 결정적 장면
1
원저자 저우얼푸
그 림 주전경
각 색 황뤄구
번 역 김숙향

난징함락과 대학살 1

난징대학살을 불러온 결정적 장면

초판인쇄 2015년 8월 14일
초판발행 2015년 8월 14일

원저자 저우얼푸(周而复)
그 림 주전겅(朱振庚)
각 색 황뤄구(黃若谷)
번 역 김숙향
펴낸이 채종준
진 행 박능원
기 획 지성영 · 조가연
편 집 백혜림
디자인 조은아
마케팅 황영주 · 한의영

펴낸곳 한국학술정보(주)
주소 경기도 파주시 회동길 230(문발동)
전화 031 908 3181(대표)
팩스 031 908 3189
홈페이지 http://ebook.kstudy.com
E-mail 출판사업부 publish@kstudy.com
등록 제일산-115호 2000. 6. 19

ISBN 978-89-268-7036-5 04910
978-89-268-7034-1 (전4권)

초판 서문

역사를 거울삼다

영국은 총과 대포를 앞세워 쇄국정책(鎖國政策)을 펼쳤던 청나라의 문호를 개방시켰다. 1842년(도광 22) 8월 29일, 아편전쟁(阿片戰爭) 결과, 청나라 조정은 영국에게 주권을 내어주는 불평등 조약인 '난징조약(南京條約)'을 체결하고 만 것이다. 이후 백 년 동안 중국은 여러 번 외적의 침략을 받았고 전쟁에서 패할 때마다 땅을 할양해주거나 물자를 배상해주는 등 불평등한 조약을 맺어야 했다. 한편, 1931년 9월 18일, 일본은 중국의 둥베이삼성(東北三省)을 침략했고 1937년 7월 7일에는 중국 전역을 공격했다. 대다수의 중국인이 일본군의 손아귀로 들어가 중화민족은 생사존망(生死存亡)을 다투는 어려운 상황에 직면하게 된다. 그러나 중국인들은 희생을 두려워하지 않고 8년간 일본에 항거하면서 용감하게 전진했다. 외세의 침략에 맞서 나라를 지키기 위해 3,500만 명이 귀중한 생명을 바쳤고 마침내 일본이 무조건적인 항복을 선언하면서 1940년대 이후로 민족의 치욕을 씻을 수 있었다.

중국 항일(抗日)전쟁의 승리는 중국 근대사의 전환점이다. 모든 중국인은 과거를 거울삼아 피로 쓴 역사를 알아야 한다. 후손들 또한 역사를 잊어서는 안 된다. 그러나 누군가는 이런 역사를 잊어버리자고 한다. 심지어 역사를 왜곡하는 이도 있다. 어떤 일본인은 일본군이 중국을 '침략'한 게 아니라 중국에 '진입'했다고 생각한다. '난징대학살'은 분명히 발생한 일임에도 중국인이 지어낸 사건이라 여기는 것이다. 일본군이 진주만(眞珠灣)을 습격해 아시아의 여러 국가를 침략한 일에 대해서도 그 목적이 유럽이나 미국 같은 강대국의 통치에서 해방시켜주기 위해서였다고 말한다. 일본의 지도 아래 대동아공영권(大東亞共榮圈)을 건설하기 위해서 말이다. 이런 경우가 한두 가지가 아니라 일일이 적을 수도 없다. 1994년 10월 24일, 일본의 한 정계 요직 인사는 국회에서 다음과 같은 발언을 한 바 있다. "일본의 전쟁 대상은 아시아 국가가 아닌 미국과 영국이다. 일본이 아시아를 침략했느냐 하는 문제에 대해서 본인은 정의내리기 어렵다." 이 정계 요직 인사는 '정의내리기 어렵다'는 말로 다른 나라를 침략했다는 사실을 부정한 것이다. 아직도 일본 정계의 우익단체가 제멋대로 날뛰고 있고 문화와 예술 분야의 우익 인사들도 군국주의 침략 범죄를 적극적으로 미화하고 있다.

역사의 진실은 일본이 가진 야욕을 만족시킬 수 없었다. 때문에 가상과 허구로 기발하게 승리를 조작하는 것이다. 그 가운데 나가야마 요시아키(永山吉昭)는 소설 『대운전(大運轉)』에서 태평양전쟁 때 연합국 비행기에 공격당한 일본 전함 야마토 마루(大和丸)호가 침몰될 운명에서 운 좋게 벗어난 이야기를 적었다. 그는 또 다른 소설 『미국 본토에서의 결전』에서도 일본 군대가 태평양을 지나 미국 워싱턴 주(州)에서 승리하여 상륙했고 캘리포니아 주의 일본 국적을 가진 미국인을 해방시켜 새 삶을 찾아주었다고 묘사했다. 더욱 황당한 것은 진주만 때 미군에게 죽임을 당한 야마모토 이소로쿠(山本伍十六) 사령관을 다시 살려낸 것이다. 되살아난 야마모토 이소로쿠는 과거의 실패를 반성하는 것은 지나친 국수주의라 여기고 냉정을 되찾아 계속해서 침략전쟁을 지휘했다. 일본 군대는 갑자기 전투력이 상승해 실제 태평양전쟁 때보다 더 강대하게 묘사되었다. 아울러 기습이 아닌 정식 선전포고를 거친 전쟁이기에 떳떳하게 승리해 하와이를 얻었고 이를 '해방'이라고 표현했다.

수년 전에 있었던 일본의 교과서 왜곡 사건은 역사를 부정하고 싶었던 일본 우익단체의 꿈을 여실히 보여준다. 우익 작가는 한 걸음 더 나아가 놀라울 정도로 역사를 위조했다. 관련 자료에 따르면 1991년까지 우익단체는 일본 내에 840여 개로 만 2천 명이 넘는 회원을 보유하고 있다. 6년 동안 우익단체와 구성원들은 크게 증가했다.

1995년 5월 26일, 독일 전 총리 슈미트(Helmut Schmidt)는 도쿄에서 이런 발언을 했다. "지금 일본이 세계 2차 대전 시기 한반도와 중국에서 벌인 수많은 범죄행위를 인정한다면, 이웃 국가는 일본을 더욱 신뢰할 것이고 미래의 평화에도 도움이 될 것이다." 그는 일본국회가 가능한 한 빨리 반성을 하고 사죄의 부전결의(不戰決議)를 통과시켜 이웃 국가들의 정치적인 우려를 없애야 한다고 했다. 일본의 일부 우익단체가 조성한 '종전 50주년 국민위원회'는 5월 29일 도쿄 부도칸(武道館)에서 이른바 '아시아 공생제전'을 개최하여 국회의 부전결의 통과를 공공연하게 반대했다. 이 대회는 침략전쟁에 대한 가해자(제국주의 국가)들의 억울함을 호소하기 위해서 개최되었다. 회장인 가세 도시카즈(加瀨俊一)는 국회에서 식민지 통치나 침략행위와 같은 내용을 담은 사죄문건 통과를 반대했다. 국가를 위해 목숨을 바친 열사들의 영혼을 모독하고 아시아의 독립을 위한 전쟁을 침략으로 정의하는 것은 잔인하다는 말도 안 되는 소리를 하면서 말이다.

지난날의 경험은 오늘의 교훈이 된다. 올해(1997년)는 난징대학살이 일어난 지 60주년이 되는 해이다. 항일전쟁을 담은 장편소설 『장성만리도(長城萬裏圖)』 중 첫 번째 이야기인 『난징함락』은 작가 주전경(朱振庚)의 노력으로 이루어졌다. 그는 피로가 쌓여 병이 날 정도로 열심히 하여 이 책을 탄생시켰으니 실로 의미 있는 일이다. 분명 많은 독자들의 사랑을 받을 것이다. 이 책은 애국주의를 발양하고 침략에 반대하며 세계평화를 지향한다.

1997년 8월 1일 베이징

저우얼푸(周而复)

周而復

편집자 서문

역사의 진상(眞相)을 재현하고 인류의 정의를 널리 펼쳤다

반세기 이전 제국주의 일본은 공공연히 중국을 침략해 무수히 많은 죄행을 저질렀다. 난징대학살도 그중 하나이다. 30만 명이 넘는 중국인이 잔혹하게 살해되었고, 육조(六朝)시대의 고도(古都) 난징은 순식간에 생지옥으로 변했으며, 도도히 흐르는 양쯔 강(揚子江)에는 피와 눈물이 끝없이 흘렀다. 중국은 이런 민족의 철천지원수를 영원히 잊지 않을 것이다. 아직까지 일본 내에서는 제멋대로 역사를 왜곡하고 침략행위를 미화하는 우익세력이 판을 치는 상황이다. 우리는 단호하게 사실을 폭로하고 무자비하게 성토해야 한다. 과거를 잊지 않으면 오늘날의 귀감(龜鑑)이 된다. 이는 도의적으로 거절할 수 없는 우리의 책임이며 인류의 정의를 지키기 위해 마땅히 해야 할 의무이다.

난징대학살 60주년을 기념하기 위한 장편 그림이야기책 『난징함락』은 몇 번의 우여곡절 끝에 세상에 나오게 되었다. 이 작업은 사실 중국 그림이야기책 출판사업 가운데 가장 대단한 일이며 오랫동안 그림이야기책에 종사한 사람에게도 특히 흥분되는 일이다. 이 책의 탄생에 대해 말하자면, 1987년 저우얼푸(周而復)의 『난징함락』이 출판되던 때로 거슬러 올라간다. 당시 중국 유일의 그림책 전문 출판사인 중국연환화출판사가 생긴 지 오래지 않아, 책임자인 나는 이 소설을 그림책 출판의 중요 제재로 결정하고 일류 수준으로 편집 및 제작하기 위해 노력했다. 당시 우리 출판사에서는 『지구의 빨간 리본』과 『중원쟁탈』과 같은 혁명사 이야기를 중점적으로 다룬 시리즈 총서를 독자들에게 선보였다. 저우얼푸도 이 작업에 동의하면서, 바쁜 와중에도 우리와 각색 방향을 논의했다. 이 문헌적 가치가 있는 문학작품을 잘 각색하기 위해 나는 따루(大魯) 선생을 각색자로 모셨다.

따루 선생은 평생을 그림이야기책에 바친 분이라고 할 수 있다. 그는 『바이마오뉘(白毛女)』, 『교통역 이야기(交通站的故事)』와 같은 작품을 각색해 큰 성공을 거둔 바 있다. 따루 선생은 얼마 후, 이 52만 자에 달하는 소설을 4백여 편에 농축시켰다. 그림 작가에 관해서도 우리는 여러 번의 검토 끝에 혁명사에 능숙한 주전겅(朱振庚)으로 확정했다. 그는 『좡비에티엔야(壯別天涯)』에서 시대의 울분을 담아 제6회 중국미술작품전시회에서 호평을 받았고, 1986년 제3회 중국그림이야기책어워드에서도 수상한 바 있다. 주전겅도 우리의 작업 제안을 기쁘게 받아들였다. 그는 힘들고 어려운 교학활동을 하면서도 먹고 자는 일도 잊을 정도로 창작에 몰두했다. 그렇게 하여 첫 번째 부분의 그림이 완성되었을 때 편집부 사람들과 나는 매우 만족했다. 주전겅은 당시 활동력이 왕성했지만 이 작품이 가진 무게와 수많은 역사 인물들을 담아내기는 쉽지 않았을 것이다. 창작의 난이도가 쉽지 않았기에 주전겅은 아주 엄숙하고 진지한 태도로 창작에 임해야 했고, 그 와중에 피로가 누적되어 병이 나 중도에 작업을 멈출 수밖에 없었다. 그러나 주전겅은 의지가 강하고 책임감이 있는 작가였다. 건강이 약간 호전되자 다시 작업에 몰두했다. 그는 이렇게 힘들고 어려운 작업을 중도에 포기하지 않고 강한 의지로 끝까지 해냈다. 사실 주전경의 엄격한 그림의 풍격은 수많은 난제를 가져왔다. 역사 인물 묘사에 있어서도 고위층 지도자와 장교에서부터 일반 사병과 시민에 이르기까지, 또 일본 파시즘(fascism)의 원흉에서부터 흉악하고 잔인한 크고 작은 살육자에 이르기까지 인물의 성격 특징을 표현하는 데에 심혈을 기울였다. 인물의 동작, 손짓, 시선, 표정 등으로 다양한 내면세계를 보여주었음은 물론 선의 스케치와 먹의 농도 모두 상당히 정확하고 적절하며 검은색의 정교한 층차는 질감마저 표현되었다. 아울러 다양한 분위기와 시대 특징도 돋보였다. 이렇게 복잡하고 어려운 창작기법은 주전경의 손끝에서 심사숙고된 뒤 탄생하여 그림이야기 예술 창작의 한 획을 그었다.

이 책의 출판은 아무래도 문헌적 가치를 지닌 거작을 제공해준 작가 저우얼푸에게 감사를 표해야 할 것이다. 중국 근대사를 돌아보면 봉건적 억압에 반항하고 외래 침략에 맞서서 혁명적 투쟁을 벌이는 과정에서 감동적이고 놀랄만한 수많은 일이 있었다. 이런 일들은 대서특필할 만하고 역사로 기록하여 후대의 교훈으로 남길 가치가 있다. 특히 『난징함락』과 같이 훌륭한 문학작품은 더 많은 독자들이 읽을 수 있도록 다양하게 만들 가치가 있다.

저우얼푸의 『난징함락』은 중일전쟁(中日戰爭)을 담은 시리즈 총서 『장성만리도』의 첫 번째 작품이다. 전체 6부로 구성되었고 380만 자가 넘는 대작으로 많은 사람들에게 널리 알려야 할 우수한 이야기를 담고 있다. 그림이야기 책과 문학의 결합은 오래전부터 이어진 우수한 전통이다. 중국뿐 아니라 외국에서도 이런 사례가 많다. 물론 우리는 작가가 창작을 하도록 격려해야 한다. 그러나 시장의 불량한 수요에 맞추기 위해 저급한, 심지어 정신적인

쓰레기를 양산하기 위해 우수한 전통을 버릴 필요는 없다.

물론 이 책이 완전무결한 작품은 아니다. 창작 후반에 작가의 건강문제로 일부 편폭은 어쩔 수 없이 깊이가 덜한 점도 있다. 그러나 옥에 티가 옥의 빛깔을 가릴 수 없듯 전체적으로 보면 우수한 작품이다. 이 책의 출판으로 대중들은 귀중한 애국주의 교과서를 얻게 되었다. 아울러 중국인과 세계인에게 있어 역사의 진상을 정확히 인식하는 데에도 도움이 될 것이다. 우리는 피로 쓴 교훈을 기억하고 세계 평화를 지켜야 한다. 이 책의 출판으로 그림이야기책을 포함해 문화계에 있어서 귀중한 정신적 중추를 보여주게 되었다. 바라건대 이런 정신적 중추가 길이 남았으면 한다.

1997년 7월

중국출판협회 연환화(連環畵)예술위원회 회장 지앙웨이푸(姜維朴)

姜维朴

이 책은 '난징대학살(南京大虐殺)' 때 희생된 30만 명이 넘는 무고한 중국인들의 혼백을 추모하며
중일전쟁(中日戰爭, 1937~1945년) 당시 용맹하게 싸운 모든 장병들에게 바친다.

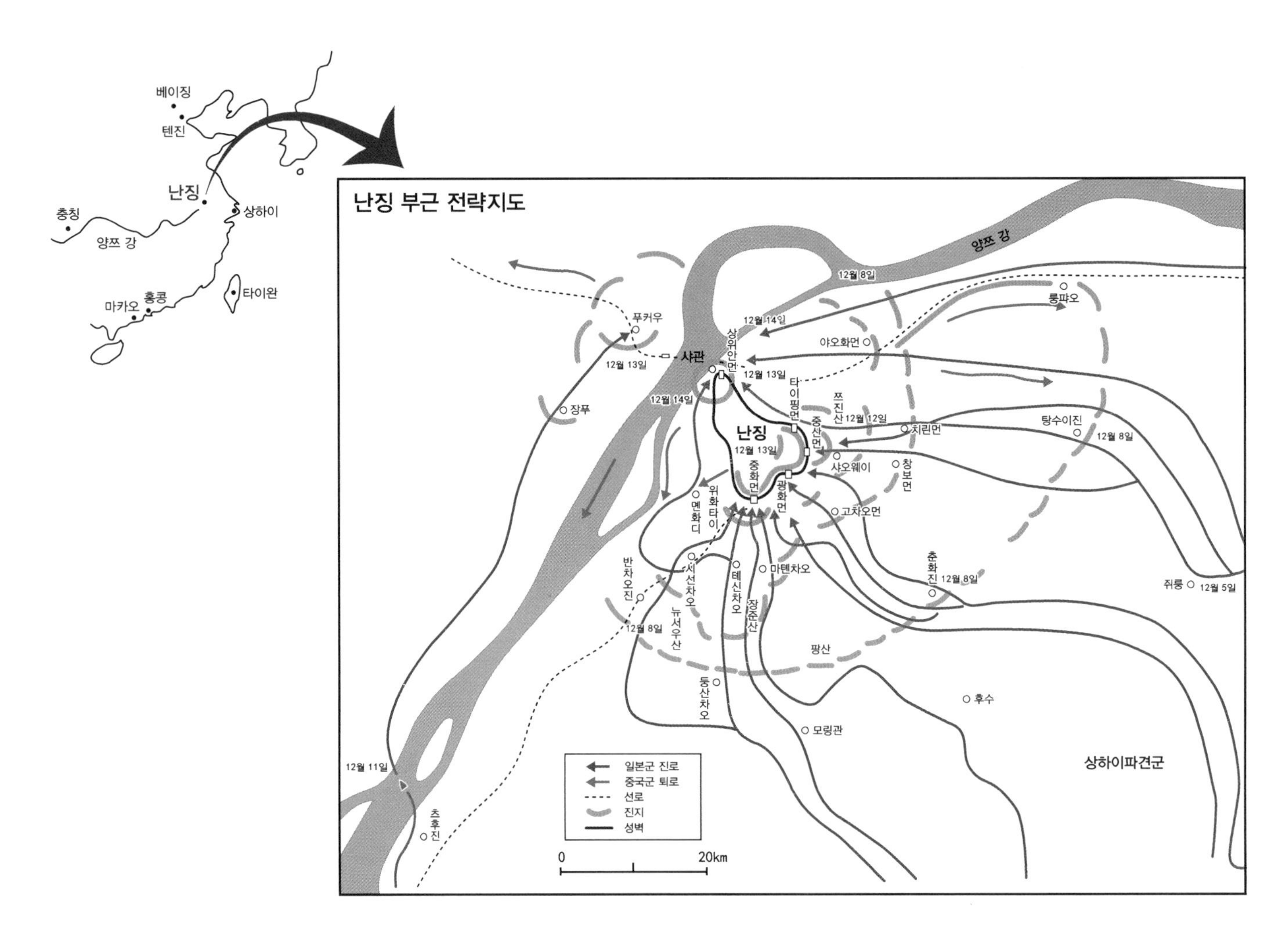

베이징
텐진
난징
충칭
상하이
양쯔 강
마카오
홍콩
타이완
난징 부근 전략지도
양쯔 강
12월 8일
룽퍄오
12월 14일
푸커우
샤관
상위안먼
야오화먼
12월 13일
12월 13일
타이핑먼
쯔진산
12월 12일
12월 14일
장푸
난징
12월 13일
중산먼
치린먼
탕수이진
12월 8일
샤오웨이
창보먼
중화먼
광화먼
위화타이
멘화디
고차오먼
반차오진
시선차오
테신차오
마톈차오
춘화진
12월 8일
쥐룽
12월 5일
12월 8일
뉴서우산
장준산
팡산
둥산차오
후수
모링관
12월 11일
상하이파견군
추후진
일본군 진로
중국군 퇴로
선로
진지
성벽
0
20km

1937년 7월 7일, 제국주의 일본은 선전포고 없이 베이징(北平) 교외의 루거우차오(盧溝橋)에서 전쟁을 일으켰다. 일본군이 속속 중국으로 파견되었고 8월 13일에는 해상에서 상하이(上海)를 공격했다. 장제스(蔣介石)는 수십만 대군을 투입시켜 일본으로부터 상하이를 지키고 일본에 대한 세계 각국의 제재를 얻으려 했다. 중일전쟁(中日戰爭)이 본격적으로 시작된 것이다.

상하이의 중국군과 중국인들이 석 달간 혼신을 다해 싸웠지만 일본에 대한 제재는 이뤄지지 않았다. 그 사이 일본군은 진산웨이(金山衛)에 상륙해 중국군의 후방을 습격했으며 세 갈래로 나눠 지아싱(嘉興)을 협공했다. 지아싱이 함락되면 일본군은 바로 우시엔(嗚縣)으로 향해 징후철로(京滬鐵路, 베이징과 상하이 간의 철도노선)를 끊고 징항국도[京杭國道, 베이징과 항저우(杭州)를 잇는 국도]를 따라 난징(南京)으로 진공할 수 있었다.

국민당(國民黨) 군사위원회 위원장 장제스는 일본군의 진공에 당황했다. 그는 중국의 수십만 대군이 일본군에 함락될 것이 두려워 퇴각을 명령하고 말았다. 순식간에 수십만 인마(人馬)가 좁은 지역을 앞다투어 지나니 상황은 혼란에 빠지고 군대는 대오를 갖추지 못했다.

바로 이때, 장제스는 외교부장 왕충후이(王寵惠)의 보고를 받았다. 벨기에 브뤼셀(Brussels)에서 열린 중일전쟁에 관한 9개국 조약회의에서 각국이 일본의 행동을 비난하고 있다는 것이다. 장제스는 이를 좋은 기회로 여겼고, 곧 세계 각국이 일본을 제재하고 나설 것이라 판단했다.

장제스는 즉시 생각을 바꿔 쑤저우(蘇州)로 달려갔다. 쑤저우에서 그는 군사회의를 열고 중국군에게 원래의 주둔지로 돌아와 수비 태세를 갖출 것을 명령했다.

장제스는 자신의 결정에 확신이 있었다. 중국군이 원래의 주둔지로 돌아와 며칠간 수비를 한다 해도 별 탈이 없으리라 생각했다. 9개국 조약이 통과되고 일본이 세계 각국의 제재를 받게 되면 그다음엔 일본과 평화협의를 맺기만 하면 된다고 판단한 것이다.

그러나 현실은 달랐다. 수십만 부대가 명령을 내리자마자 동시에 퇴각을 한다는 것은 마치 큰 산이 순식간에 기우는 일과 같다. 흩어지는 모래와 진흙처럼 조직적이지 못하고 순식간에 사방으로 떨어져 나가 버린다. 중국군은 부대가 뿔뿔이 흩어지는 것을 막을 아무 힘이 없었다.

전방 부대의 궤멸(潰滅) 소식은 장제스가 막 기상했을 때 날아들었다. 그는 침실에서 머리를 움켜쥐고 상심에 빠져 한탄했다. “수십만 정예부대가 그 좁은 땅조차 지키지 못할 줄이야! 이렇게 하루아침에 궤멸하다니…….”

마침 단장을 하던 장제스의 부인 쑹메이링(宋美齡)이 재빨리 그의 곁에 와 앉으며 단호히 말했다. “명령이었어요.” 그녀는 남편을 따뜻하게 위로했다. 그러나 장제스는 여전히 괴로워하며 고개를 들지 못했다.

이때 부(副)대위장 황스허(黃時賀)가 뛰어와 보고했다. "쿵 부원장님께서 뵙자고 하십니다." 쑹메이링은 제부인 쿵상시(孔祥熙)가 왔다는 소식에 장제스와 함께 서둘러 그를 만나러 갔다.

쿵샹시가 이른 아침부터 찾아온 것은 다름 아닌 9개국 조약회의에서 발표한 선언문의 원문을 얻었기 때문이다. 그는 선언문의 내용이 말도 안 된다고 생각했고, 때문에 이를 일부러 장제스에게 와서 알려주려 한 것이다. 영어에 능통한 쑹메이링이 그를 대신하여 선언문의 내용을 읽어내려 갔다.

선언문의 내용을 들은 장제스는 화가 나 펄쩍 뛰었다. "정말 말도 안 되는군. 어떻게 이럴 수 있나!" 세심한 성격의 쑹메이링이 차분히 말했다. "도대체 어떻게 해서 이 선언문이 통과되었죠? 각국의 태도는 어떻죠? 차라리 왕 부장을 불러 물어보도록 해요!"

부름을 받고 온 왕충후이가 들어서자마자 장제스가 다짜고짜 물었다. "9개국 조약선언문이 발표되었는데 어째서 내게 보고하지 않은 건가?" 왕충후이는 얼굴을 붉혔고 자신도 구웨이쥔(顧維鈞) 대사에게 방금 전보를 받았다며 황급히 변명했다.

선언문의 내용을 보면 도의적으로는 일본을 질책하고 있지만 이는 허울 좋은 말일 뿐 일본의 행위에 대해 어떤 제재도 선포하지 않았다. 또한 일본에 군수(軍需) 물자를 통상하지 말아 달라는 중국의 요구에 대해서도 아무 언급이 없었다. 이건 매우 분명했다. 각 나라들은 일본의 미움을 받고 싶지 않았고 자국의 무기상들이 이번 기회로 많은 부(富)를 축적하기를 원했다.

장제스는 환멸을 느꼈다. 그는 9개국 조약회의에서 일본을 제재해 전쟁이 끝나기만을 간절히 바랐기 때문이다. 모든 희망을 여기에 걸었는데 이제 끝나버린 것이다. 그의 원한 가득한 마음이 한마디 말로 터져 나왔다. "제기랄! 속 빈 강정이구먼!"

장제스는 자리에서 벌떡 일어나 "제길!" 하며 다시 한마디를 내뱉고는 자리를 박차고 나갔다. 왕충후이는 갑자기 궁지에 몰렸다. 그가 외교부장을 맡은 이후 이렇게 난처한 상황은 처음이었다. 쑹메이링이 좋게 수습해주었다. "왕 부장님, 일은 이미 벌어졌으니 다른 날 다시 이야기해요."

왕충후이는 고개를 떨어뜨리고 낙담한 채 돌아갔다. 쑹메이링은 쿵샹시와 함께 장제스의 사무실로 들어갔다. 그녀는 장제스가 멍하니 넋을 놓고 소파에 앉아 있는 모습을 보고 곁에 앉아 차분히 위로했다. "국가도 개인과 같아요. 자기의 이해관계를 생각하지 않을 사람이 누가 있겠어요. 신경 쓰지 마세요."

그러나 장제스는 여전히 생각을 떨치지 못했다. "국제사회는 정의를 중시하지 않는다는 말이오?" 이때 쿵샹시의 말이 장제스를 환기(喚起)시켰다. "9개국 조약회의는 희망이 없어요. 하루빨리 이 전쟁을 끝낼 다른 방법을 생각해봅시다." 장제스는 손바닥을 세게 쳤다. "옳소. 다른 방법을 생각해볼 수 있겠지!"

장제스는 입술 위에 작은 수염을 길렀던 히틀러(Adolf Hitler)를 생각했다. 그리고 이틀 전 왕충후이가 보고한 극비정보도 떠올렸다. 중국 주재 독일대사 트라우트만(Oskar Trautmann)이 쿵샹시 부원장을 만나고 싶어 했다는 것이다. 확실치는 않지만 트라우트만이 '평화'라는 희망을 가져다 줄 것만 같았다.

장제스는 자신의 이런 생각을 쿵샹시와 쑹메이링에게 이야기했다. 비록 두 사람 모두 미국과 영국 쪽에 기울어져 있었지만 지금은 독일에 희망을 걸 수밖에 없었다. 독일과 일본, 양국은 우호관계였다. 쿵샹시는 급히 트라우트만과 만날 시간을 정했다.

쿵샹시가 또 건의하길, 왕징웨이(汪精衛)가 일본, 독일 양국과의 관계가 좋으니 이번 일을 맡기자는 것이다. 덧붙여 자신이 직접 왕징웨이를 만나러 가겠다고 했다. 장제스가 잠시 생각을 해보니 자신이 직접 가는 것이 좋을 것 같았다. 그러나 어떻게 말해야 좋을지 몰랐다. "평소 당신들은 왕래가 없었는데 지금 찾아가면 너무 갑작스럽지 않겠소?"

장제스의 의중을 알아차린 쑹메이링이 직접 한번 만나보라고 권했다. 쿵샹시도 반대하지 않았다. 장제스는 짐짓 어쩔 수 없다는 듯 말했다. "별수 없군. 두 분의 의견대로 내 직접 한번 가볼 수밖에 없겠소."

다음 날 장제스는 쑹메이링과 함께 왕징웨이의 주석 공관에 도착했다. 왕징웨이는 줄곧 중국과 일본의 평화를 주장했던 자라 당연히 장제스의 제안에 찬성했다. 그러나 그 역시 노골적으로 표현할 수는 없었다. 장제스가 재차 요구하자 날이 밝는 대로 트라우트만 대사를 만나보겠다고 답을 주었다.

한편 전선(戰線)의 상황이 갈수록 나빠지자 장제스는 난징의 방어를 생각해야만 했다. 장제스는 즉시 중산링(中山陵) 아래 쓰팡청(四方城) 대피소에서 고위급 관료회의를 열었다.

참모총장 허잉친(何應欽), 부총장 바이충시(白崇禧), 작전팀장 류페이(劉斐), 군령부장 쉬용창(徐永昌)이 회의에 참가했다. 장제스는 응접실과 주방을 가리키며 모두에게 말했다. "오늘 여러분께 불편을 끼치게 되었군요. 소파는 없지만 편하게 앉으시오."

상황은 급박했다. 일본군의 선발대가 우싱(嗚興)에 도착해 수도의 대문까지 근접한 것이다. 때문에 누구도 선불리 말을 꺼내고 싶어 하지 않아 했다. 그들 중 류페이만이 9개국 조약회의를 기다린 것이 전쟁의 기회를 놓친 결과라며 기탄없이 지적했다.

회의장 내는 일순간 술렁였다. 여러 사람 앞에서 공공연히 최고통치자의 지휘가 적절치 못했다고 질책했으니 말이다. 장제스는 화가 나서 류페이의 말을 가로막았다. “9개국 조약회의에서 일본을 제재하지 못한 건 자업자득(自業自得)이 될 것이오. 남이 의롭지 못하다고 어찌 우리도 그럴 수 있겠소. 우리는 인정(仁政)을 행해야 하오.”

장제스가 계속해서 말했다. “우리는 전쟁에서 약간의 영토를 잃었지만 전 세계의 여론을 얻었소. 이런 정치적 승리도 무시할 수 없소.” 그는 단숨에 말을 마치고 물을 들이켰다. 그리고 준엄한 눈빛을 하고는 마치 이렇게 묻는 듯했다. “다들 이해하시겠소?”

허잉친 역시 장제스의 말에 동의했다. 게다가 의견을 더해 장제스의 전략을 더욱 힘 있게 만들었다. “우리가 전쟁을 하는 이유는 국제사회의 여론을 얻기 위함이 아니라 평화를 이룩하기 위해서입니다. 정말 전쟁을 한다면 일본은 중국이 막아낼 수 있는 상대가 아니지요.”

하지만 바이충시와 류페이는 장제스와 생각이 달랐다. 류페이는 일본군이 강한 건 사실이지만 이길 수 없는 건 아니라고 지적했다. 팔로군(八路軍)이 일본군의 총사령관 이타가키 세이시로(板垣 征四郎)를 핑싱관(平型關)에서 물리치지 않았는가?

장제스가 가장 우려했던 일이 바로 이것이었다. 그의 수십만 정예부대는 상하이에서 패전했는데 팔로군은 핑싱관에서 대승을 거둔 것이다. 장제스는 화제를 바꾸어 엄숙하게 말했다. "그 역시 당연히 생각해 볼 수 있소. 하지만 말이오."

바로 그때, "빠아앙—" 하고 공습경보 같은 소리가 들렸다. 동시에 한 시종 부관이 헐레벌떡 뛰어들어와 시종실 주임 첸따쥔(錢大鈞)에게 종이 한 장을 건넸다. 첸따쥔은 곧바로 장제스에게 보고했다. "적군의 비행기 50대가 난징을 향해 날아오는 중이라고 합니다……."

장제스는 애써 태연한 척했다. “50대가 뭐 그리 두렵소? 백 대라 해도 겁낼 필요는 없으니 그렇게 긴장하지들 마시오.” 첸따쥔은 장제스의 안전이 자신의 책임이라 생각하고 서둘러 방공호로 대피하라고 설득했다. 허잉친을 비롯한 다른 사람들도 거들어 설득하고 나섰다.

"쾅!" 하는 소리와 함께 폭탄 하나가 부근에 떨어졌다. 첸따쥔은 무작정 장제스의 손을 잡고 소리쳤다. "위원장님, 어서 가세요! 어서요!" 장제스는 몸을 가누지 못하고 두 다리가 풀려 첸따쥔이 이끄는 대로 응접실을 벗어났다.

응접실에 모여 있던 사람들도 뒤따라 방공호로 향했다. 류페이는 경험이 있었기에 입구에서 비행기의 경로를 관찰했다. 별다른 위험은 없었다. 20분쯤 지나니 밖에서 경보를 해제하는 소리가 들렸다. 류페이는 곧바로 방공호로 들어가 이를 장제스와 사람들에게 알렸다.

방공호를 빠져나온 장제스는 옷에 묻은 먼지를 툭툭 털고 바짝 뒤따르던 첸따귄을 나무랐다. "당신의 소심함 때문이오. 내 숨을 필요 없다고 했잖소. 숨을 필요가 없다고!" 첸따귄은 그런 장제스에게 시내를 가리키며 피어오르는 검은 연기를 보라고 했다. 장제스는 그제야 말이 없어졌다.

응접실로 돌아오자마자 장제스가 말했다. "한시가 급하오. 난징 방어 대책을 생각해 봅시다. 이게 지금 가장 중요하고도 시급한 문제요." 류페이는 장제스가 일부러 중앙군의 패전에 대한 논의를 회피하고 있다는 것을 알았고 장제스가 언급한 문제에 대해 자신의 생각을 말했다.

류페이의 생각은 이러했다. 일본군은 우수한 육해공군과 현대화된 장비를 보유하고 있으며 유리한 수륙교통선인 양쯔 강 삼각주를 통해 양쯔 강, 징후철도, 징항국도를 따라 세 갈래에서 진공하고 있다. 더욱이 난징은 입체적으로 둘러싸인 형세라 방어하기가 어려우니 차라리 난징을 포기하고 기회를 보아 다시 공격하자는 것이다.

바이충시 역시 류페이와 같은 생각이었다. 난징은 지리적으로 양쯔 강의 굴곡진 곳에 자리하고 삼면이 산으로 둘러싸여 있으며 나머지 한 면은 물을 등진 지형이라 수비가 쉽지 않다. 그러나 난징은 수도이니 아무런 저항 없이 포기해버리는 것 또한 옳지 않다. 그러니 소수의 병력만 남겨 방어하자고 주장했다. 류페이가 바이충시의 의견에 동의했다. 허잉친은 장제스가 반대하지 않는 모습을 보고 고려할 만하다는 의견을 표했다.

쉬용창은 원래 아무 말도 하고 싶지 않았지만 모두가 같은 의견을 내비치자 찬성의 뜻을 표했다. 전체의 동의가 있고 나자 장제스가 그제야 입을 열었다. "생각해볼 만하오. 난징은 우리의 수도요. 국제사회의 관심이 쏠려 있으니 반드시 방어를 해야 하오. 그러나 어떻게 방어를 할 것인가는 내 토론회를 열 테니 그때 다시 결정합시다."

장제스는 연달아 두 차례의 회의를 열었다. 대다수의 의견이 일치했다. 난징 방어는 불가능하니 소수 병력만 두어 수호의 상징만을 남겨놓자는 것이었다. 장제스도 거의 같은 생각이었다. 그러나 국민당 정부가 충칭(重慶)으로 옮긴 뒤 왕징웨이 부부를 배웅하면서 그의 생각이 다시 바뀌었다.

왕징웨이는 장제스에게 넌지시 일본이 평화에 대한 뜻이 있다고 말했다. 그의 말에 따르면 일본은 평화회담을 원하기에 난징을 공격할 리 없다는 것이다.

그렇다면 일본은 난징을 공격할 생각이 없고 기껏해야 중국을 몰아세워 불평등 조약을 맺으려 할 것이다. 장제스는 대외적으로 난징을 방어한다는 모양새를 갖추고 중국 전역에 항전(抗戰)의 결심을 보이면 되었다.

그런데 난징을 어떻게 방어하고 그 책임은 누구에게 맡길 것인가? 장제스가 가만히 생각에 잠겨있을 때 첸따쥔이 갑자기 뛰어들어와 보고했다. 제7전역의 사령장관 류샹(劉湘)이 난징에 도착해 장제스를 만나고 싶어 한다는 것이다.

류샹이 도착했다. 그는 바로 난징 방어의 책임을 맡길만한 인물 중 한 명이었다. 장제스는 즉시 첸따쥔에게 류샹을 데려오라고 했다.

장제스는 류샹과 몇 마디 인사말을 나눈 뒤 난징 방어를 맡기고 싶다는 의사를 전했다. 류샹은 그제야 장제스가 자신을 즉시 만나자고 한 이유를 알았다. 그 역시 결사적으로 항전을 주장하기에 당연히 거절할 일은 아니었다. 그러나 난징은 방어하기 어려운 곳일 뿐 아니라 행여나 방어에 실패했을 경우 난징을 빼앗겼다는 죄명을 감당해야만 했다. 류샹은 망설이지 않을 수 없었다.

잠시 주저하던 류샹은 대답했다. "제가 이제 막 난징에 도착하여 쓰촨(四川)을 벗어난 군대가 어디에 있는지 아직 모릅니다. 분명하게 파악한 뒤 직무에 대해서 다시 말씀드리겠습니다." 장제스가 대답했다. "좋소, 소식 기다리지요. 이번 임무는 그대에게 맡기겠소." 류샹은 여러 말없이 인사를 한 뒤 떠났다.

돌아오는 차 안에서 류샹의 마음은 조급했다. 거절할 수도 승낙할 수도 없었다. 조급한 마음에 위궤양이 다시 도져 한가득 피를 쏟았다. 부관이 재빨리 그를 병원으로 데려갔다. 이것이야말로 거절할 절호의 기회였다. 류샹은 부관에게 일러 곧바로 위원장에게 자신의 상황을 보고하라고 지시했다.

장제스는 류샹의 소식을 듣고 한탄했다. 가까스로 적임자를 찾았는데 병이 생겼다니 말이다. 어쩔 수 없이 첸따쥔을 보내 류샹을 위문했다. 류샹에게 난징은 요양할 곳이 못 되니 하루빨리 한커우(漢口)로 가 병을 치료하라는 말을 전했다.

장제스는 난징 방어를 책임질 사람을 뽑는 일에 고심했다. 그러다 별안간 한 사람이 생각났다. 장제스는 곧장 쑹메이링에게 가서 그를 데려오자고 했다.

장제스가 생각해 낸 사람은 바로 탕셩즈(唐生智)였다. 그는 북벌(北伐) 때 전방 총사령관을 맡아 군사들을 이끌고 우한삼진(武漢三鎮)을 점령해 당시 명성이 자자했었다. 그 이후 반장(反蔣) 운동에서 실패한 뒤 수년간 쓰임을 못 받고 있다가 지금은 실권이 없는 육군 장군으로 있다. 쑹메이링은 놀라 물었다. "그가 할 수 있을까요?"

장제스는 쑹메이링에게 슬며시 실제 사정을 이야기했다. 난징 방어 임무를 맡을 사람은 정하기 어렵다는 것이다. 그 자리는 많은 사람들의 기대를 한몸에 받을 뿐 아니라 중앙군과 지방군을 모두 통솔할 수 있어야 한다. 더욱이 자신의 밑에 있는 장교를 보내기가 어려우니 첫째로 사람들이 반대할까 걱정이고 둘째는 손해가 너무 클까 염려되었다. 그래서 장제스가 생각해 낸 사람이 탕셩즈였다. 쑹메이링은 알았다는 듯 웃었다.

장제스 부부는 나란히 탕셩즈의 공관을 찾았다. 병문안을 왔다고 했지만 사실은 탕셩즈의 의중을 알아보기 위해서였다.

그런데 양쪽의 의견이 단번에 일치할 줄 누가 알았겠는가? 탕성즈는 이번 기회를 재기의 발판으로 삼고 싶었다. 그는 장제스의 말을 듣고 격양되어 말했다. "위원장님께서 난징 방어의 책임을 맡기려 하시는데 나라의 재난을 눈앞에 두고 도의상 거절할 수 없지요."

장제스는 기뻐하며 돌아갔다. 탕성즈는 그들을 배웅하고 응접실로 돌아와 누군가를 기다렸고 곧 한 중년의 남자가 들어왔다. 그는 상황을 듣고는 박수를 치며 좋아했다. "이런 기회와 인연이 있군요. 부처님께서 보살펴주셨어요. 이것은 당신의 세 번째 출사표입니다. 반장 운동에서 실패했는데 이제야 출세할 기회가 눈앞에 펼쳐졌군요."

이 중년의 남자는 꾸보쉬(顧伯敘)라 불리는 불교 밀종의 거사(居士)이다. 탕성즈는 부처를 믿었는데 꾸보쉬가 바로 그의 정신적 지주이자 책사이며 아무런 명의도 없는 참모였다. 탕성즈는 꾸보쉬의 말을 듣고 마음속으로 깊이 깨달았다. "당신의 말을 따르겠습니다. 꾸 형!" 말을 마친 뒤 두 사람은 마주 보고 웃었다.

난징 방어를 책임질 인물이 정해지고 난 뒤 얼마 후 장제스는 고위급 장교회의를 열었다. 그날 밤 암흑 속에 뒤덮인 난징에는 승용차가 줄지어 중산루(中山路)를 내달렸다. 목적지는 바로 장제스의 대피소가 있는 쓰팡청이었다.

이번 회의는 지난번 고위급 장교회의에 참가했던 인물 외에도 탕셩즈와 막 쉬저우(徐州)에서 제5전선의 사령관장을 맡은 리쭝런(李宗仁)이 추가되었다. 장제스는 왕징웨이로부터 소식을 들은 후로 난징의 방어는 단지 일본과의 평화회담을 위한 구색일 뿐이라는 생각이었지만 회의에서 이런 속내를 드러낼 수는 없었다.

그런데 회의에서 뜻밖의 상황이 벌어졌다. 리쭝런이 난징에 방어진을 치지 말아야 한다고 주장했고 바이충시 역시 원래의 생각을 바꿔 리쭝런의 의견에 따르면서 순식간에 회의장 분위기가 흔들린 것이다. 장제스는 황급히 탕셩즈를 노려보며 도와주기를 바랐다.

장제스가 탕셩즈를 만나러 갔던 그날, 탕셩즈는 이미 장제스의 속내를 들었다. 때문에 이번이 바로 자신이 위험부담 없이 재기할 기회라고 여겼고 그날 탕셩즈는 분개하며 일어나 난징은 중국의 수도이자 국부(國父)인 쑨원(孫文)의 무덤이 있는 곳이니 반드시 지켜야 한다고 말했던 것이다.

탕셩즈의 정의롭고 위엄 있는 모습과 노기충천한 말투는 장제스를 감동시켰다. “그대에게 이런 정의감이 있다니 정말 감탄스럽소. 어떻게 해서든 우리 꼭 난징을 사수합시다. 그런데 지금 문제는 누구에게 그 책임을 맡길 것인가가 아니겠소?”

누가 난징 방어의 책임을 지고 싶어 할까? 숨소리가 들릴 정도로 삽시간에 실내가 조용해졌다. 탕성즈가 자리에서 일어났다. "위원장님, 만일 적임자가 없다면 할 수 없이 제가 맡아 반드시 난징과 생사를 함께하겠습니다."

순간 모두가 안도의 숨을 내쉬었다. 리쭝런과 바이충시는 탕성즈가 영리한 사람임을 알았다. 탕성즈가 난징을 방어하는 일은 사실상 불가능하지만 그가 이번 일을 재기의 기회로 삼으려 한다는 사실을 알고 있었다. 그러나 그렇다고 이 사실을 입 밖으로 꺼낼 수도 없었다. 장제스는 반대하는 사람이 없자 말했다. "좋습니다. 그럼 탕 장군에게 난징 경비사령관장을 맡깁시다."

난징을 방어하는 일은 이렇게 급히 결정되었다. 장제스가 떠난 뒤 리쭝런이 탕셩즈를 향해 엄지를 치켜들었다. "탕 사령관, 정말 대단합니다. 난징과 생사를 함께한다니 엄청난 부담이 되겠어요." 탕셩즈는 어깨를 으쓱하며 도의상 거절할 수 없었다는 듯 말했다. "민족의 존망이 달린 문제는 무겁더라도 받들어야죠!"

바이충시는 한켠에서 무시하듯 웃었다. "잘 받들길 바라겠소!" 탕셩즈는 그 불만스러운 표정을 보고 바이충시와 여러 말을 하지 않았다. "위원장님이 주신 막중한 임무를 저버리지 않을 것이오!" 탕셩즈는 긴 가죽장화를 끌고 뚜벅뚜벅 걸어나갔다.

집으로 돌아온 탕셩즈는 집 뒤 누각에 들어서자마자 고함을 질렀다. “꾸 형! 꾸 형!” 자신을 부르는 소리를 듣고 나온 꾸보쉬가 탕셩즈의 두 손을 맞잡고 인사하며 물었다. “탕 형, 일은 어찌 되었소?” 탕셩즈가 싱글벙글 웃으며 답했다. “훌륭하다마다요. 아주 훌륭해요!” 꾸보쉬는 듣자마자 말했다. “여기 말고 빨리 불당 안으로 들어갑시다.”

불전 앞에서 꾸보쉬는 탕셩즈에게 오늘 열린 회의의 상황을 물었다. 장제스가 난징을 방어한다고 했지만 사실 명목상의 방어일 뿐 그 목적은 평화회담에 있다는 것을 알았다. 또 일본도 함부로 난징을 공격해올 리 없으니 상황은 이미 정해진 것이나 다름없었다. 때문에 탕셩즈는 난징 경비사령관을 맡아 재기의 발판으로 삼으면 될 뿐이다.

꾸보쉬가 말했다. "만약 탕 사령관께서 결정을 내리지 못했다면 절에 가서 제비를 뽑아 점을 쳐보실 수 있습니다. 부처께서 어떤 가르침을 내려주실지 보지요." 탕셩즈는 큰일이 있을 때마다 제비를 뽑아 점을 쳤기에 꾸보쉬의 말에 자연스럽게 동의했다. 다음 날 탕셩즈는 옷을 갈아입고 꾸보쉬와 시샤스(棲霞寺)에 가서 점을 쳤다.

탕셩즈는 불전 앞에서 경건히 세 번 고개 숙여 절을 하고 조용히 소원을 빌었다. 그런 뒤 끌어안은 제비통에서 제비 하나를 흔들어 뽑았다. 꾸보쉬가 펼쳐보니 '선학이 새장을 나가듯 새장을 벗어나니 길마다 훨훨 뚫렸다. 동서남북 막힌 곳 없이 하늘 높이 끝없이 날아간다'란 글귀가 보였다. 꾸보쉬는 엄지를 치켜들며 말했다. "최고의 점괘라, 좋네요, 좋아!"

두 사람은 서둘러 집으로 돌아와 불당으로 들어갔다. 탕셩즈는 제비를 들고 점괘를 물었다. 꾸보쉬가 말했다. “이건 매우 신령스러운 패입니다. 그대가 노장(老蔣) 밑에서 수년간 뜻을 얻지 못한 것은 선학이 새장에 갇힌 셈이지요. 그런데 지금 당신에게 난징의 방어를 맡겼습니다. 노장은 곧 떠날 것이니 어찌 가는 길마다 훨훨 뚫리지 않을 수 있겠습니까. 막힘없이 하늘 높이 끝까지 날아가겠지요.”

사실 탕셩즈는 일찌감치 점괘의 내용을 알고 있었다. 그런데 꾸보쉬가 다시 풀이해주는 말을 들으니 정신이 번쩍 들었다. 그는 자신감에 가득 차 꾸보쉬에게 전했다. "좋습니다. 가서 비서에게 신임 방어계획을 세워야 하니 부사령관 뤄줘잉(羅卓英)과 류싱(劉興) 장군을 불러 달라 전해주세요."

탕성즈와 뤄줘잉, 그리고 류싱은 난징 방어에 대한 계획을 세워 장제스에게 제출했다. 장제스는 상하이 전선에서 퇴각한 자신의 정예군인 중앙군 78부대와 73부대를 탕성즈의 지휘로 보내 난징을 방어하게 했다.

이는 장제스가 이번 일에 있어서 탕셩즈를 상당히 신임하고 있다는 뜻이었다. 아울러 난징 방어에 대한 장제스의 굳은 결심이 분명하게 드러난 것이다. 탕셩즈는 기뻐하며 장제스와 작별하고 수도경비사령부로 돌아왔다. 원래 철도부의 사무실 건물인 이곳에서 그는 난징을 방어할 부대의 군단장과 사단장을 일일이 만나 각각 방어 지역에 배치하고 작전계획을 알렸다.

가장 마지막에 인사를 나눈 사람은 78군 군대장 겸 36사단장인 쑹시롄(宋希濂)이다. 탕성즈는 쑹시롄에게 36사단을 이끌고 시아관(下關)과 이장먼(挹江門) 일대를 방어하라고 지시했다. 그가 이렇게 장제스의 애제자를 배치한 것은 분명한 의도가 있었지만 겉으로 드러낼 수는 없었다.

부대가 난징 주위에 진지를 만들어 들어간 후 어느 날 지휘관들은 탕성즈의 전화를 받았다. 이튿날 아침에 위원장이 진지를 순찰할 것이니 준비를 하라는 내용이었다. 각 부대의 지휘소는 갑자기 바빠지기 시작했다.

장제스의 정예군은 난징 성 밖의 감제고지(瞰制高地)인 쯔진 산(紫金山) 위에 진지를 만들었다. 만일 일본군이 쯔진 산을 점령한다면 난징은 곧바로 그들 수중에 들어간다. 때문에 탕셩즈는 독일 장비와 고문을 정예군에 보내 훈련시켰다. 이른 아침 총사령관 꾸이용칭(桂永清)도 탕셩즈의 명령에 따라 수도경비사령부에 합류했다.

부대장 저우전창(周振強)과 참모장 치우칭췐(邱清泉)이 함께 쯔진 산의 최고봉인 베이까오펑(北高峰)에 도착해 진지를 돌아보고 장제스를 기다렸다. 베이까오펑 아래는 구불구불한 산의 형세를 따라 사병들이 공사를 하고 있었다. 진지에는 흙먼지가 날려서 마치 누런 비단이 공중에서 요동치듯 아침햇살이 희미하게 비췄다.

부대장 저우전창은 순시를 하면서 수시로 산 아래를 내려다보았다. 갑자기 산 아래에서 자동차 경적 소리가 연달아 들려왔다. 스무 대가 넘는 차량이 마치 검은 딱정벌레처럼 산 위로 올라오고 있었다. 그는 흥분해서 소리쳤다. "오셨습니다. 우리 위원장님을 맞이하러 갑시다!"

“아닙니다. 우린 진지에서 사병들과 함께 위원장님을 기다리면 됩니다.” 치우칭췐이 저우전창에게 대답한 뒤 큰소리로 모두에게 외쳤다. “위원장님이 오셨습니다. 모두 힘을 냅시다!” 참호 안의 하급군관과 사병들이 서서 철삽을 흔들었다. 공중의 먼지는 갈수록 짙어졌다.

얼마 후 구불구불한 작은 길 저 멀리서 장제스가 지팡이를 들고 오르락내리락하며 가슴을 펴고 걸어왔다. 몸에 걸친 검은색 방탄 코트가 산바람에 날리자 허리춤에 매단, 푸른 보석이 박힌 패검이 드러났다.

진지가 가까워지자 장제스는 발걸음을 재촉하여 활기찬 모습을 보였다. 탕셩즈가 그와 나란히 걸어왔고 첸따쥔과 황스허가 뒤따랐다. 그 뒤에는 뤄줘잉, 꾸이용칭, 쑹시롄 및 72사단의 군장 쑨위안량 등 고위급 장교들이 따랐다.

장제스가 다가오는 모습을 보고 저우전창은 차렷 자세를 취하고 낭랑한 목소리로 소리쳤다. "차렷! 경례!" 진지 위의 관병들 모두 서서 차렷 자세를 취했다. 장제스는 그들을 향해 손을 흔들었다. 그런 뒤에 하얀 장갑을 낀 오른손을 이마 위에 올려 답례했다.

이어서 검지를 뒤로 구부렸다. 부대위장 황스허가 아는 체를 하며 가슴 앞의 망원경을 벗어 건넸다.

장제스는 진지 가운데 서서 망원경으로 사방을 바라보았다. 그러면서 묻기를 "교도부대는 어떻게 배치했소?" 꾸이용칭이 앞으로 한 걸음 나아가 장제스 곁에 서서 공손하게 답했다. "위원장님께 보고 드립니다. 정예부대의 병력 배치는……"

장제스는 다른 부대의 상황은 잘 몰랐지만 자신의 정예군에 대해서는 관심이 많았기에 잘 알고 있었다. 그는 꾸이용칭이 일부 병력을 빠뜨리고 보고하지 않자 화가 나 목소리를 높였다. "제6사단과 제9사단의 보병은 뭘 하고 있소?"

장제스의 낯빛이 심상치 않은 걸 보고 꾸이용칭은 놀라 대답을 하지 못했다. 저우전창은 말문이 막혀 어물거리는 꾸이용칭을 보고 이상하게 생각했지만, 그 역시 나서서 대답하지 못했다. 다행히 치우칭췐이 다소 냉정을 찾고 앞으로 나가 대답했다. "위원장님께 보고 드립니다. 두 사단은 장시(江西)로 신병을 마중 나간 뒤 아직 돌아오지 않았습니다."

교관부대는 장제스의 정예군으로, 다른 사단보다 모든 면에서 우위에 있었다. 물론 고위급 장교들 앞이지만 어떻게 화를 내지 않겠는가? 장제스는 꾸이용칭에게 물었다. "당신은 총사령관이란 사람이 대체 뭣 하는 거요? 어떻게 모를 수가 있소?" 꾸이용칭은 고개를 숙이고 자신의 잘못을 인정했다. "제가 순간적으로 잊어버렸습니다."

탕셩즈가 황급히 나와서 사태를 수습했다. "나중에 꼭 기억하면 그걸로 된 겁니다. 위원장님, 우리 전방의 진지를 살펴봅시다." 장제스는 아무 말 없이 앞으로 걸어가는 탕셩즈를 따랐다. 꾸이용칭과 저우전창, 그리고 치우칭췐도 뒤로 물러나 전방을 향해 걸었다.

진지 시찰을 마친 뒤 탕셩즈는 장제스와 함께 베이까오펑의 남쪽 산비탈 위에 난 평지 가운데에 섰다. 이곳은 사방에 하늘을 찌를 듯 거대한 소나무와 잣나무가 가득한 곳으로, 겨울이었지만 여전히 매우 울창했다. 탕셩즈가 이곳에서 잠시 휴식을 취하자고 건의하자 황스허가 재빨리 접의자를 날랐다.

장제스는 망원경으로 산 아래의 난징을 보며 절로 감개에 젖어 사조(謝朓)의 〈입조곡(入朝曲)〉 중 한 구절을 읊었다. "강남의 멋지고 아름다운 땅, 금릉(金陵, 난징의 옛 이름)은 바로 제왕의 고을이라(江南佳麗地 , 金陵帝王州)." 장제스는 이상한 기분이 들었다. 도대체 전세는 어떻게 될 것인가? 그 역시 판단을 할 수 없었다. 오랫동안 태평성대를 이룬다는 난징의 단꿈은 막연해져 버린 것이다.

장제스의 감상은 현장에 있던 장교들에게까지 전해졌다. 모두 입을 다물고 장제스의 시선에 따라 연기가 피어오르는 난징을 바라보았다. 탕셩즈는 장제스에게 용기를 주고 싶었다. "난징의 산수(山水)는 험준한 형세입니다. 우리가 쯔진 산과 위화타이(雨花台)만 잘 지키면 적군은 들어올 수 없을 것입니다!"

장제스가 고개를 돌려 뒤를 보니 장수들이 일렬로 넓게 서 있었다. 그가 말했다. "우리는 반드시 난징을 지킬 수 있소. 그렇지 않소?" 장교들이 곧바로 대답했다. "반드시 난징을 지킵시다!" 장제스는 장교들을 바라보며 입가에 미소를 띠웠다. 이들을 데리고 있는 게 헛된 일은 아닌 셈이었다.

그는 갑자기 정예부대가 남아 난징을 지키는 일이 결코 쓸데없는 희생이 아니라는 생각이 들었다. 그러나 이 1만 용병이 우세한 일본군을 막아낼 수 있는가 하는 것은 여전히 문제였다. 장제스가 계속해서 말했다. "난징을 방어하는 일은 단지 방어를 하느냐 못하느냐의 문제가 아닙니다. 지켜내는 시간도 문제요."

"우세한 적군이 진격해 오는 상황에서 난징을 지키는 일은 정말로 어려운 일이오. 그렇기 때문에 단기간 방어를 해야 하오. 상황이 이렇게 된 이상 모든 병력을 진지에 투입시킬 필요는 없고 병력이 전부 희생되지 않도록 퇴로(退路)를 엄호할 준비를 해야만 하오……." 뜻밖의 말에 탕셩즈는 너무 놀라 입이 떡 벌어졌다.

장제스는 어째서 이렇게 김새는 소리를 하는 것일까? 그는 고위급 관료회의에서 했던 이야기는 잊어버린 듯했다. 모두가 장제스의 이야기를 듣고 있을 뿐이었다. "예상컨대 적군은 10일쯤 도착할 것이오. 14일간 방어하면 우리는 전투력을 키울 수 있고 산에서 적군을 공격할 수 있소……."

"위원장님의 판단은 탁월하십니다." 탕성즈는 장제스에게 겉치레로 빈말을 했다. 그러나 마음속 생각은 달랐다. '자기 멋대로 의견을 바꾸다니! 난징과 생사를 함께하겠다는 내 맹세는 어떻게 바꾸란 말인가?' 다른 사람은 장제스의 의중을 알지 못하고 속으로 생각했다. '아침에 내린 지시가 저녁에 바뀌다니 이 전쟁을 어떻게 치를 것인가?'

장제스가 서둘러 진지 시찰을 마치자 평화회의에 관한 일도 잇달아 진행되었다. 외교부 차장 쉬모(徐謨)가 독일 대사 트라우트만과 함께 난징에 도착한 것이다. 트라우트만 대사는 독일로부터 중일전쟁을 조정하라는 명령을 받았다. 그는 오직 장제스만이 평화를 협의할 수 있다는 걸 알았기에 난징에 와서 장제스를 만나길 원한 것이다.

쉬모는 트라우트만을 셔우뚜(首都) 호텔에 데려다주고 자신은 바로 쓰팡청으로 가 장제스를 만났다. 장제스는 쉬모가 보고한 일본과의 평화 담화 조약을 집중해서 들었다. 그는 사실 일본이 터무니없는 조건을 내세웠으리라 예상했는데 듣고 보니 고려할만하다고 생각했다. 그러나 그 자리에서는 한마디도 내색하지 않았다.

장제스는 쉬모에게 호텔로 가서 쉬었다가 오후 4시에 다시 오라고 전했다. 그리곤 첸따쥔에게 산시성(山西省)의 옌시산(閻錫山)에게 전보를 치고 난징에 있는 고위급 장교들을 오후 4시까지 불러 모으라 명했다.

오후 4시, 장교들이 도착했다. 쉬모 역시 딱 맞춰 도착했다. 그러나 막상 고위급 장교들을 마주하니 어떻게 말해야 좋을지 망설여졌다. 장제스가 먼저 입을 열었다. "쉬 차장, 독일 대사가 온 임무를 보고해주시오. 실제로 보고하듯 하시오."

쉬모는 담화의 내용이 고위급 장교들의 강한 비난을 받을까 두려워 떨리는 목소리로 말했다. "독일 대사는 중일전쟁의 중재를 맡아 일본이 제시한 다음의 조건을 가져왔습니다……." 바이충시가 제갈량 같은 지략가답게 담화의 내용을 듣자마자 일본이 교묘한 말 속에 많은 뜻을 숨겨놨음을 알아챘다.

일본이 제시한 내용은 다음과 같다. 네이멍구(內蒙古)를 자치구로 하고 중국은 화베이 지역에 군대를 주둔시킬 수 없다. 또 상하이의 휴전 지역을 확대시키고 그 나머지는 공동 경비를 하며 관세도 조정한다. 이는 표면적으로는 화베이 정권을 중앙정부로 소속시키고 상하이 정권은 그대로 두는 듯 보이나 사실은 일본이 언제든지 괴뢰(傀儡) 정권을 만들 수 있게 한 것이다.

탕성즈는 일본군은 거짓으로 평화를 약속할 뿐 난징으로 진격할 것을 알았고 자신이 난징을 방어할 수 있다는 사실에 기뻤다. 한편 구주통(顧祝同)은 제3진지의 부사령장관으로 동남 지역이 바로 그의 관할이다. 당시 상하이는 이미 일본의 손아귀에 들어갔고 다른 지역까지 점차 확대되는 상황이라 그는 남몰래 한숨이 터져 나왔다.

구주통은 갑자기 뭔가가 생각났다는 듯 물었다. "아군의 군대를 제한하는 내용은 없습니까? 첨부된 내용은 없나요?" 쉬모가 답했다. "군비에 대해서는 언급하지 않았습니다. 첨부된 내용 역시 없고요. 지금 말씀드린 조건이 전부입니다. 우리가 동의한다면 바로 전쟁을 멈출 수 있습니다." 구주통은 고개를 끄덕이고 한숨을 내쉬었다. 그는 일본이 군비를 제한하지 않아 일 처리가 쉬워졌다고 생각했다.

그런데 장제스가 쉬모가 덧붙인 말에 관심을 갖고 되물었다. "만일 우리가 동의한다면 전쟁을 멈출 수 있다?" 쉬모가 곧바로 대답했다. "그렇습니다, 위원장님." 바이충시는 이 대화를 듣고 바로 알았다. 장제스는 이미 일본의 조건을 검토하고 있다는 사실을 말이다.

쉬용창은 장제스의 의중을 알아채고 먼저 나서서 동의를 표했다. 탕성즈도 당연히 찬성했고 구주통은 군비를 제한하지 않는 것이 다른 일 처리를 쉽게 해줄 것이라 여겨 역시 동의했다. 그런데 바이충시만이 찬성도 반대도 하지 않았다. 반대해도 소용이 없음을 알았기 때문이다.

장제스는 마음속의 기쁨을 억누르지 못하고 말없이 옅은 미소를 지었다. 바이충시는 어딘가 이상했다. 갑자기 장제스가 첸따쥔에게 물었다. "산둥에서 회신이 왔는가?" 첸따쥔이 미처 대답을 하기 전에 외치는 소리가 났다. "보고합니다!" 시종부관이 전보를 들고 들어온 것이다.

산둥에서 온 전보였다. 장제스는 전보의 내용을 본 뒤 모두에게 말했다. "쉬 차장의 보고를 듣고 내가 옌시산 사령관장에게 의견을 묻는 전보를 쳤소. 그런데 지금 찬성한다는 회신을 보내왔소. 현재 여러분들도 반대 의견을 내지 않고 독일 정부가 직접 나서서 조정하는 일이니 거절하기 어려울 것 같소."

"일본이 제시한 조건은 주권을 상실하는 치욕스러운 것은 아니요. 기본적으로 루거우차오사변 이전의 상태로 회복할 수 있고 정권도 우리 손에 있는 것이니 말이오! 내 국민들에게 할 말도 있고 말이오." 바이충시는 마음속으로 생각했다. '화베이와 상하이를 두 손으로 갖다 바치는 꼴인데 이것이 주권을 상실하지 않는 것이고 치욕스럽지 않다고?' 그러나 이런 생각을 입 밖에 내지는 못했다.

다음 날 오전 10시 정각, 장제스는 장포 마고자를 입고 국민당 정부 대회의장 응접실에서 트라우트만을 접견했다. 장제스는 거드름을 피우면서 중국은 체코나 아비시니아(에티오피아의 옛 이름)가 될 수 없다며 마치 민족의 존엄을 지키려는 듯한 태도를 보였다.

쉬모가 보기에 장제스는 홍정을 하고 싶어 했다. 장제스는 대담하고 강경한 태도로 주권국가는 자신의 영토에 군대를 주둔시킬 권리가 있기에 일본 측에서 화베이에 군대를 주둔하는 문제를 제기할 수 없다고 말했기 때문이다.

트라우트만은 노련한 외교관이었다. 이번 중재의 목적은 중국이 반공 전선을 벗어나게 하지 않는 것이다. 그는 지금 압력을 넣지 않으면 안 되겠다고 느꼈다. 트라우트만은 장제스가 종종 겉과 속이 다르고 겉으로만 강해 보인다는 것을 알고 있었다. 이에 말하길, "위원장님께선 현실을 바로 보시기 바랍니다!"

곧이어 트라우트만은 중국과 일본, 양국의 현실을 이야기하며 일본군이 난징으로 진군하고 있음을 지적했다. 그는 지금 이 순간 담판을 짓지 못하면 기회가 없을 것이라 판단했다. 과연 장제스는 한풀 꺾여 말했다. "중국은 한결같이 평화를 주장했소. 그렇기에 우리는 화해의 문을 닫지 않을 것이오."

트라우트만은 곧이어 말했다. “위원장 각하께서 진심으로 평화를 바라신다면 독일 정부는 매우 감사할 것입니다. 저는 일본 측의 조건이 담판을 시작하는 기초가 될 수 있을지 궁금합니다.” 장제스는 잠시 생각을 한 뒤 기회를 놓칠까 싶어 꾹 참고 천천히 말했다. “가능하오.”

트라우트만은 순간 기분이 좋아졌다. 중재가 성공했으니 일어나 작별 인사를 했다. "제가 곧 일본 정부와 연락할 수 있게 하겠습니다. 중국의 수도가 머지않아 난징으로 돌아오길 기원하겠습니다." 장제스도 트라우트만과 손을 잡고 인사를 나누었다. "고맙소, 트라우트만 대사. 좋은 소식 기다리겠소."

회담은 아주 신속히 끝났다. 장제스는 신이 나서 쓰팡청으로 돌아왔다. 쑹메이링이 그를 맞았다. 그녀는 전용기가 준비되었고 천부레이(陳布雷) 주임이 선발대를 이끌고 우창(武昌)에서 준비를 마쳤다는 소식을 전했다. 이내 묻기를, "명령을 내렸어요. 우린 몇 시에 출발해요? 이런 괴상한 곳에 있으니 바깥소식도 듣지 못하고 정말 답답해 죽을 것 같아요."

장제스가 싱글벙글 웃으며 그녀의 어깨를 쓰다듬었다. "금방이요, 금방. 지금 난징은 지킬 수 있으니 도시수비부대의 장군들을 불러 훈시(訓示)한 후 바로 갑시다." 말을 마친 뒤 트라우트만과 만난 일을 쑹메이링에게 대강 이야기했다. 그는 쯔진 산 진지에서 했던 비관적인 말을 바로 잡고 싶었던 것이다.

다음 날 저녁 8시. 난징성은 이미 잠에 빠졌다. 중산루에는 어슴푸레한 불빛만 남았고 다니는 차량의 흔적도 끊겼다. 이때 오토바이의 호위를 받는 차량 행렬이 맹렬한 속도로 수도경비사령부를 향해 달렸다.

차량 행렬이 빠르게 철도부의 사무동 입구로 들어갔다. 첫 번째 차량이 멈춰 섰다. 사람의 형체를 한 검은 그림자가 차 안에서 나와 불빛이 밝게 비추는 2층으로 걸어갔다. 잠시 후 군복을 차려 입은 장제스가 사람들 앞에 나타났다. 이곳의 수도경비부장관들 앞에 모습을 드러낸 것이다.

모두가 앉기를 기다린 뒤 탕셩즈가 일어서서 말했다. “위원장님께서 바쁘신 와중에 어렵게 시간을 내셔서 난징 방어에 각별한 관심을 가지고 여러분께 훈시를 하고자 오셨습니다. 모두 전심전력으로 경청하시길 바랍니다.” 순간 정적이 흐르면서 글 적는 소리만 들렸다.

장제스가 훈시를 시작했다. 그는 먼저 항전 다섯 달 동안 군사상 일시적으로 실패를 했지만 정치적으로는 승리했다고 말했다. 그리고 화제를 돌려 상하이 전장에서의 실패를 이야기하고 난징을 지켜야 하는 이유를 설명했다. 난징은 수도이며 국부의 능묘가 위치한 곳이자 세계의 관심이 모여 인심의 영향이 큰 곳으로……

이렇게 하여 장제스의 결론은 '난징을 반드시 지켜야 한다'는 것이었다. 그 '지킨다'는 말은 마치 폭탄처럼 꾸이용칭의 머릿속에서 쾅하고 터졌다. 꾸이용칭에게는 정말 예상 밖이었다. 며칠 전 장제스는 쯔진 산에서 난징을 지키고 싶지만 사실상 어려운 일이라고 했는데…… 오늘 또 생각이 변해버린 것이다. 어떻게 된 일일까?

꾸이용칭과 마찬가지로 모든 장교들의 머릿속이 복잡해졌다. 장제스가 분명 쯔진 산에서 일장연설을 한 뒤 단기간 방어를 하고 기회를 보아 후퇴하기로 했기 때문이다. 어째서 생각이 또 변한 걸까? 모두 서로의 얼굴을 바라보기만 할뿐 감히 이유를 묻지 못했다.

탕성즈는 장제스가 마음을 바꾼 이유를 알았지만 극비였기에 자리에 있던 장교들에게 발설하지 않았다. 그는 용기를 내서 적극적으로 장제스의 말에 맞장구를 쳤다. "난징은 반드시 지켜야 하니 저는 위원장님의 전략을 지지합니다!"

"탕성즈 사령관장과 나의 생각이 같군요. 난징을 지키는 것은 정치적으로 필요할 뿐 아니라 군사적으로도 유리하오. 적군의 병력을 견제하여 부대에 잠시 쉬면서 보충할 기회를 가질 수 있으니 말이오." 장제스는 자신감 있는 태도를 보이며 말했다. "본인은 난징은 반드시 지킬 수 있다고 믿소!"

"저도 위원장님의 의견에 동의합니다. 난징은 분명히 지킬 수 있습니다." 사실 탕셩즈는 마음속으로 계산을 하고 있었다. 장제스와 함께 노래하면 더 높은 곡조를 부를 수 있다고 말이다. "위원장님이 맡기신 중책을 완수하기 위해 저를 비롯한 모든 장교와 사병은 난징과 생사를 함께하겠다고 맹세했습니다. 임무를 완성하지 못하면 살신성인(殺身成仁)하겠습니다!"

탕셩즈는 결사의 각오로 전쟁에 임하겠다는 뜻을 보이기 위해, 장제스에게 잘 보이기 위해 강을 건너려는 배를 모두 철수시키고 어떤 부대도 시아관(下關)에서 강을 건너지 못하게 하겠다고 표명했다. 또한 의지를 더욱 다지듯 말하는 도중 갑자기 일어나 팔을 높이 올려 큰 소리로 외쳤다. "우리 반드시 난징과 생사를 함께합시다!"

장제스의 면전에서 그 누가 두려움을 드러낼 수 있겠는가? 모두 충성스러운 결심을 보여주기 위해 곧바로 일어나 탕성즈의 고함소리를 따라 외쳤다. "우리 반드시 난징과 생사를 함께합시다!" 격앙된 고함소리가 검은색 커튼이 드리워진 창문을 뚫고 밤하늘에 퍼져 오랫동안 끊이지 않았다.

원저자 저우얼푸(周而復)

前 문화부 부부장(副部長, 차관)이자 저명한 작가로서 활발히 활동하였다. 병으로 인해 2004년 1월 8일 베이징에서 향년 90세로 작고하였다.

그림 주전겅(朱振庚)

화중(華中)사범대학미술과 교수로 대표작으로는 짙은 시대적 분위기를 잘 그려내어 제6회 중국미술작품전시회에서 호평을 받은 그림이야기책(連環畵) 『좡비에티엔야(壯別天涯)』가 있다. 이 작품을 통해 1986년 제3회 중국그림이야기책어워드에서 수상한 바 있으며 제6~8차 중국미술작품전시회에서 입선하였다. 2012년 2월 향년 74세로 별세하였다.

각색 따루(大魯) **황뤄구**(黃若谷)

작품활동 가운데 『교통역 이야기(交通站的故事)』는 제1차 중국연환화어워드 문학각본 3등, 『바이마오뉘(白毛女)』는 제2차 중국그림이야기책어워드 문학각본 2등을 수상하는 영예를 안았다. 이 외 각본작품들로는 『천징룬(陳景潤)』, 『이사광(李四光)』, 『중국고대 4대 발명』, 『외국과학자』, 『감진화상(鑒眞和尚)』, 『당백호(唐伯虎)』, 『8대 산인(八大山人)』, 『난정전기(蘭亭傳奇)』 등 다수가 있다.

번역 김숙향(金淑香)

중국어 번역 전문프리랜서로 한국 고려대학교에서 석사과정을 마친 뒤 중국 상해 복단대학에서 중국문학으로 박사학위를 받았다. 현재 중국 문학과 문화에 관심을 가지고 모교를 비롯한 여러 대학에서 강의를 하면서 연구와 번역을 병행하고 있다. 지금까지 번역 출판된 책으로는 『대여행가』, 『명장』, 『제왕』, 『맹자 지혜』 등 다수가 있다.